컬러링 필사 노트

이외수

에세이

저녁은
나의
힘

컬러링북 에세이

해냄

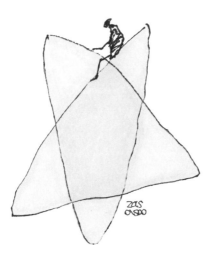

....

....

....

....

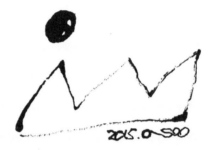

2015. 0 SOO

난을 좋아하는 사람은
나를 닮았고
들을 좋아하는 사람은
들을 닮는다

태양
희망
용광

모두 일자가
따로 있는것이아닙니다
가슴에 간직하면
그대가 일자입니다

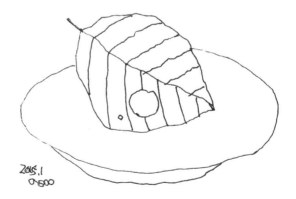

2015
0-300

머리는 채우고
마음은 비울 것

다른 것
외침하기

2015.0.500

2015
05.00

만물은 각기
저 나름의
문을 가지고 있다
다만 그대가
여는 방법을 모를 뿐

2015. 0000

물은 낮은 곳으로 흘러
바다에 이르고
바다는 만생명을
차별 없이 키운다

2015. 050

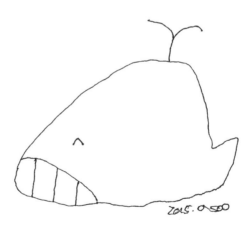

2015. 05.00

새하 마리만
그려놓으며
남은 여백 모두가
하늘이어라

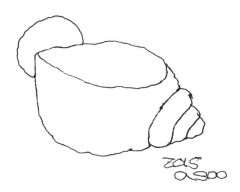

멸치는
　　잡아도 바다에
살 자격이 있다

2015
2800

2015
0-300

아무리 잘난 놈들이
그대 앞에서 콧값을 떨어도
그대는 기죽지 말라
그대가 바로
우주의 중심이니까

茶 끓이는 소리
솔숲에
바람 지나가는 소리

나무
누구에게도
평생 무릎을
꿇어본 적이
없습니다

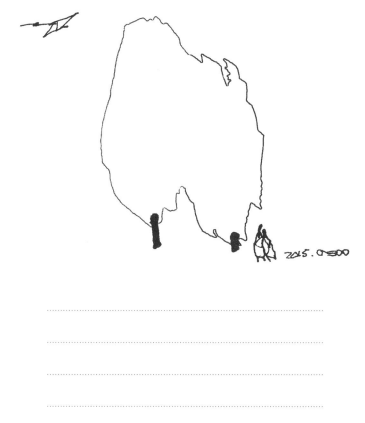

2015. 05.00

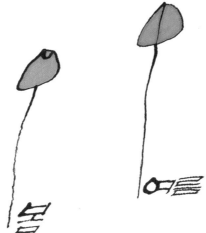

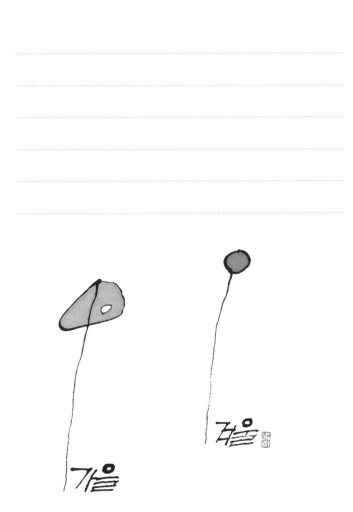

나는 와
언제나
태양을
등지고 섰가

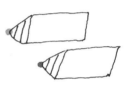

하늘보다 더 높은 하늘
바다보다 더 깊은 바다
내 사랑은
도대체
어디쯤 숨어 있는 걸까요

소수
2015

꽃피우기
어렵지 않다
그저 열기
어려울 뿐

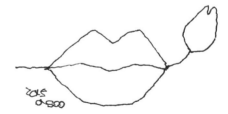

바람 부는대로
물결 치는대로
살고 싶다면
먼저 내부터
죽어야 합니다

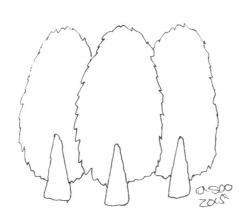

기다리는 일은
사랑하는 일보다
힘들다

사랑
대수롭지 않은
아무 한마디에도
가슴 뭉클해지는 것

사랑

아무리 멀리 떨어져 있어도

서로가 저에 돌아오기

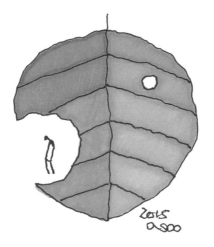

2015
2800

....

....

....

....

....

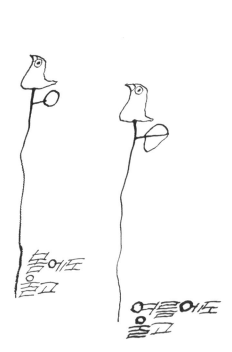

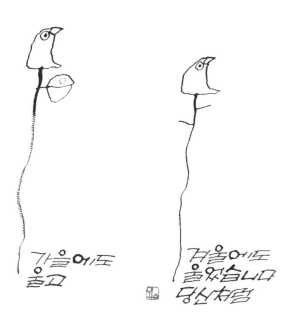

가을에도
울고

겨울에도
울었습니다
당신처럼

비틀거리는
靑春
내 탓만은 아니다

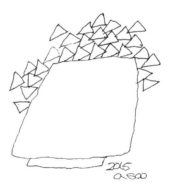

....

....

....

....

....

....

울 엄마는
제가 세상에서
제일
예쁘대요

asoo
2015

2015
오수

사랑
만물이 정지해 있어도
그대 심장이 뛰는 소리는
들을 수 있다

··

··

··

··

··

··

두 사람 사이라
느린 걸음이지만
그대를 향해
행운이 걸어오고 있다

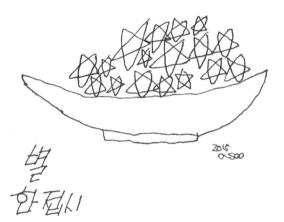

별
한접시

2016
9-500

2015.0800

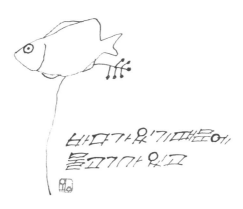

바닷가의 기쁨에
물고기가 온다

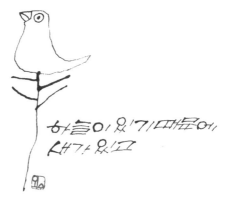

새들이 있기 때문에
새가 있고

그대가
풀잎이기 때문에
아주 오랜
풀잎이는 것이니다
그대를 사랑합니다

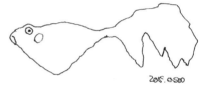

2015. 0.500

2015.05.00

밝음
놓다

콩나물에
햇빛
그리움

사랑이라는 단어에는
마음 받침이 하나 있구요
그리고 마음 받침은
모가 나 있습니다
그 모를 깎아서 둥글게
만들면 사랑은 사랑이 됩니다

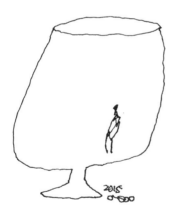

O-SOO
2015

내 앞에는
되갚기버이
없습니다

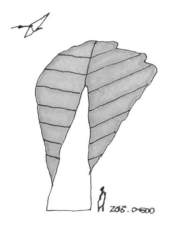

2015. 0500

2015. 04.00

사랑
그대가 아프니까
온 세상이다
아파보입니다

2015. 0.800

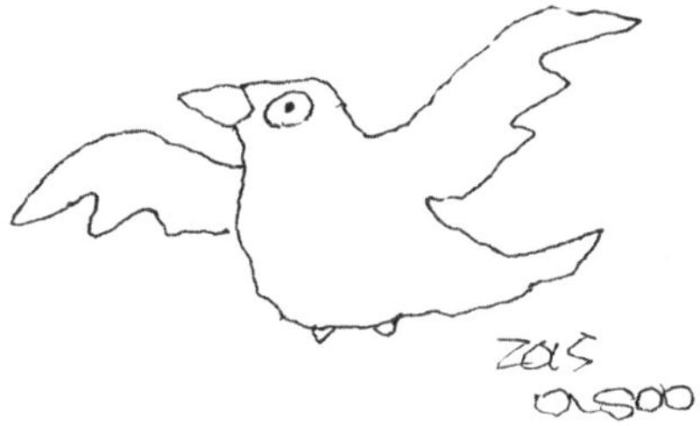

자백은 나의 힘

지은이 | 이외수

펴낸이 | 송영석

펴낸곳 | (株)해냄출판사 **등록번호** | 제10-229호

등록일자 | 1988년 5월 11일(설립일자 | 1983년 6월 24일)

주소 | 04042 서울시 마포구 잔다리로 30 해냄빌딩 5·6층

대표전화 | 326-1600 **팩스** | 326-1624

홈페이지 | www.hainaim.com

홍보용 비매품